从今以后,
别再过你应该过的人生,
去过你想过的人生吧!

Day 7

Day 6

只有用心灵才能看得清事物本质，真正重要的东西是肉眼无法看见的。

Day 4

Day 3

Day 1

我的灯和酒坛上落满灰尘，
而遥远的路程上却干干净净。

Day 6

Day 3

雨水中出现了平原上的麦子，这些雨水中的景色有些陌生，天已黑了，下着雨，我坐在水上给你写信。

Day 1

使沙漠显得美丽的,
是它在什么地方藏着一口水井。

Day 6

人生如逆旅，我亦是行人。

Day 5

Day 4

Day 3

你只是不同,而非差于别人。

Day 2

Day 1

Day 7

我喜欢走在路上,
太阳爱我,也爱所有人。

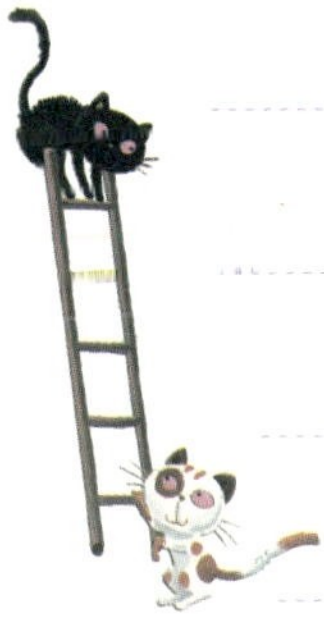

人大概到最后才会懂得，
重要的不是要什么，而是不要什么。

Day 6

Day 5

Day 3

岁月为百代之过客，逝去之年亦为旅人也。
于舟楫上过生涯，或执马鞭而终其一生之人，
日日生活皆为旅行。

能快乐旅行的，一定是轻装旅行的人。

Day 2

Day 1

July 7月

SUN日	MON一	TUE二	WED三	THU四	FRI五	SAT六
	1 建党节	2 十九	3 二十	4 廿一	5 廿二	6 廿三
						7 小暑
1 建党节	2 十九	3 二十	4 廿一	5 廿二	6 廿三	7 小暑
8 廿五	9 廿六	10 廿七	11 廿八	12 廿九	13 六月	14 初二
15 初三	16 初四	17 初五	18 初六	19 初七	20 初八	21 初九
22 初十	23 大暑	24 十二	25 十三	26 十四	27 十五	28 十六
29 十七	30 十八	31 十九				

August 8月

SUN日	MON一	TUE二	WED三	THU四	FRI五	SAT六
			1 建军节	2 廿一	3 廿二	4 廿三
5 廿四	6 廿五	7 立秋	8 廿七	9 廿八	10 廿九	11 七月
12 初二	13 初三	14 初四	15 初五	16 初六	17 七夕节	18 初八
19 初九	20 初十	21 十一	22 十二	23 处暑	24 十四	25 十五
26 十六	27 十七	28 十八	29 十九	30 二十	31 廿一	

September 9月

SUN日	MON一	TUE二	WED三	THU四	FRI五	SAT六
						1 廿二
2 廿三	3 廿四	4 廿五	5 廿六	6 廿七	7 廿八	8 白露
9 三十	10 教师节/八月	11 初二	12 初三	13 初四	14 初五	15 初六
16 初七	17 初八	18 初九	19 初十	20 十一	21 十二	22 十三
23 秋分/30 廿一	24 中秋节	25 十六	26 十七	27 十八	28 十九	29 二十

October 10月

SUN日	MON一	TUE二	WED三	THU四	FRI五	SAT六
	1 国庆节	2 廿三	3 廿四	4 廿五	5 廿六	6 廿七
7 廿八	8 寒露	9 九月	10 初二	11 初三	12 初四	13 初五
14 初六	15 初七	16 初八	17 重阳节	18 初十	19 十一	20 十二
21 十三	22 十四	23 霜降	24 十六	25 十七	26 十八	27 十九
28 二十	29 廿一	30 廿二	31 廿三			

November 11月

SUN日	MON一	TUE二	WED三	THU四	FRI五	SAT六
				1 廿四	2 廿五	3 廿六
4 廿七	5 廿八	6 廿九	7 立冬	8 十月	9 初二	10 初三
11 初四	12 初五	13 初六	14 初七	15 初八	16 初九	17 初十
18 十一	19 十二	20 十三	21 十四	22 小雪	23 十六	24 十七
25 十八	26 十九	27 二十	28 廿一	29 廿二	30 廿三	

December 12月

SUN日	MON一	TUE二	WED三	THU四	FRI五	SAT六
						1 廿四
2 廿五	3 廿六	4 廿七	5 廿八	6 廿九	7 大雪/十一月	8 初二
9 初三	10 初四	11 初五	12 初六	13 初七	14 初八	15 初九
16 初十	17 十一	18 十二	19 十三	20 十四	21 冬至	22 十六
23 十七/30 廿四	24 十八/31 廿五	25 圣诞节	26 二十	27 廿一	28 廿二	29 廿三

2018 年日历
农历戊戌

January 1月

SUN日	MON一	TUE二	WED三	THU四	FRI五	SAT六
	1 元旦	2 十六	3 十七	4 十八	5 小寒	6 二十
7 廿一	8 廿二	9 廿三	10 廿四	11 廿五	12 廿六	13 廿七
14 廿八	15 廿九	16 三十	17 十二月	18 初二	19 初三	20 大寒
21 初五	22 初六	23 初七	24 初八	25 初九	26 初十	27 十一
28 十二	29 十三	30 十四	31 十五			

February 2月

SUN日	MON一	TUE二	WED三	THU四	FRI五	SAT六
				1 十六	2 十七	3 十八
4 立春	5 二十	6 廿一	7 廿二	8 廿三	9 廿四	10 廿五
11 廿六	12 廿七	13 廿八	14 情人节	15 除夕	16 春节/正月	17 初二
18 初三	19 雨水	20 初五	21 初六	22 初七	23 初八	24 初九
25 初十	26 十一	27 十二	28 十三			

March 3月

SUN日	MON一	TUE二	WED三	THU四	FRI五	SAT六
				1 十八	2 元宵节	3 二十
4 廿一	5 惊蛰	6 廿三	7 廿四	8 妇女节	9 廿六	10 廿七
11 廿八	12 植树节	13 三十	14 二月	15 初二	16 初三	17 二月
18 初二	19 初三	20 初四	21 春分	22 初六	23 初七	24 初八
25 初九	26 二十	27 十一	28 十二	29 十三	30 十四	31 十五

April 4月

SUN日	MON一	TUE二	WED三	THU四	FRI五	SAT六
1 愚人节	2 十七	3 十八	4 十九	5 清明	6 廿一	7 廿二
8 廿三	9 廿四	10 廿五	11 廿六	12 廿七	13 廿八	14 廿九
15 三十	16 三月	17 初二	18 初三	19 初四	20 谷雨	21 初六
22 初七	23 初八	24 初九	25 初十	26 十一	27 十二	28 十三
29 十四	30 十五					

May 5月

SUN日	MON一	TUE二	WED三	THU四	FRI五	SAT六
		1 劳动节	2 十七	3 十八	4 青年节	5 立夏
6 廿一	7 廿二	8 廿三	9 廿四	10 廿五	11 廿六	12 廿七
13 母亲节	14 廿九	15 四月	16 初二	17 初三	18 初四	19 初五
20 初六	21 小满	22 初八	23 初九	24 初十	25 十一	26 十二
27 十三	28 十四	29 十五	30 十六	31 十七		

June 6月

SUN日	MON一	TUE二	WED三	THU四	FRI五	SAT六
					1 儿童节	2 十九
3 二十	4 廿一	5 廿二	6 芒种	7 廿四	8 廿五	9 廿六
10 廿七	11 廿八	12 廿九	13 三十	14 五月	15 初二	16 初三
17 父亲节	18 端午节	19 初六	20 初七	21 夏至	22 初九	23 初十
24 十一	25 十二	26 十三	27 十四	28 十五	29 十六	30 十七

旅行手账

我们还有更长的路要走，
不过没关系，
道路就是生活。

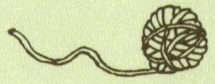